はってんじん 初天神

天神《てんじん》さまといいますのは、
菅原道真公《すがわらみちざねこう》のことでして、
その天神《てんじん》さまを、まつってあるお宮《みや》が、天満宮《てんまんぐう》です。
そして、新年《しんねん》になってから、
天満宮《てんまんぐう》にはじめておまいりにいくことを、
初天神《はつてんじん》ともうします。
とくに、二十五日《にじゅうごにち》は、
天神《てんじん》さまのえんにちですから、
一月《いちがつ》、二月《にがつ》の二十五日《にじゅうごにち》などは、
おおぜいのひとが、おまいりにでたそうで……。

「おーい、羽織《はおり》を
だしてくれ」

「どこへ、いくんだい？」
「初天神《はつてんじん》にいってくる」
「だったら、うちの金坊《きんぼう》も、つれてっておくれ。
うちにいると、わるさばかりして、こまるんだよ」
「金坊《きんぼう》はだめ！　おれは、あいつのおやだけど、
あいつは、きらいだよ。
あんなにぎょうぎのわるいやつはいないよ。
まったく、おやじのかおが、みたいくらいだ」
「それは、あんたじゃないか」
「えっ、…ああ、おれだ。
でも、とにかく、だめ！」
「おねがいだよ、つれてってくれよ。
さっきも、きんじょでわるさして、
わたしが、しかられちゃったんだから」
つれていけの、いかないのと、
いいあっておりますと、
金坊《きんぼう》が、ひょっこり、かおをだしまして、

「とうちゃん。羽織《はおり》なんかきて、
どこかへいくんだね。
ぼくもつれてって」
「ほーらでた。
おまえが、ぐずぐずいうから、
みつかったじゃないか」
「いいじゃないの、つれてったら」
「かんたんにいうなよ。こいつは、どこへいっても
あれかってくれー、これかってくれーと、
うるさくて、しょうがないんだよ」
「そんなこと、いわないから、
とうちゃん、つれてって！」
なんだかんだと、いいあったあげく、
とうとう、おとうさんは、
金坊《きんぼう》をつれて、初天神《はつてんじん》にいくはめに、
なってしまいました。

天満宮《てんまんぐう》のけいだいには、
おおぜいのひとが、でていまして、
屋台店《やたいみせ》も、たくさんでておりました。
「いいか、ぜったいに、
あれかってくれー、
これかってくれーって、
いわないってやくそくで、
つれてきたんだからな」
「わかっているよ、
やくそくまもるからさ、
いいこにしてるからさ、
ごほうびに、
わたがしかって」
「なんだい、そりゃ」

「だからさ、
あれや、これは、いらないから、
わたがしかって」
「そういうちえだけは、
はたらくんだねえ……、
だめだめ、
わたがしは、あまいから、
どくだ」

「じゃあ、
かるめやきかって」
「あれも、あまくて、
どくだ」
「じゃあ、
たこやきかって」
「たこは、……
たこは、かたくて、
どくだ」

「じゃあ、
おこのみやき」
「あれは、……
あれは、どくだ」
「あんずあめ」
「どく」
「やきそば」
「どく」
「じゃあ…」
「どく」
「なにも、いってや
しないじゃないか」

おとうさん、なんとか、金坊《きんぼう》を、ごまかして、
おまいりをするところまで、やってきました。
おさいせんを、あげると、
「天神《てんじん》さまは、学問《がくもん》の神《かみ》さまだからな、
天神《てんじん》さまー、
どうか、金坊《きんぼう》が、かしこいこに
なりますように……」
金坊《きんぼう》も、
「天神《てんじん》さまー、
どうか、とうちゃんのしごとが、
うまくいきますように……」
「おや、たまには、おまえも、
いいことを、いうじゃあないか」
「それからね…」

「うん、それから？」
「とうちゃんと、かあちゃんが
びょうきを、しませんように」
「うれしいことを、
いってくれるねえ」
「それからね…」
「うんうん、それから？」
「とうちゃんが、
凧《たこ》をかってくれますように」
「なんだい、このやろう、
うまくもっていきやがった」
「とうちゃん、凧《たこ》は、どくじゃないから、
凧《たこ》かって！」

「凧《たこ》かって、凧《たこ》かって、
凧、凧《たこ》、凧《たこ》、凧《たこ》、たこーっ」
「こら、うるさいよ、
よしなよ、みっともないよ、
まいったね、
みみに、たこが、できちゃった」
「凧《たこ》、たこ、たこ！」
「わかったよ！　かうよ」
ついに、おとうさんも、
こんまけしてしまいました。
凧屋《たこや》の店《みせ》が、すぐちかくに
あったものですから、
金坊《きんぼう》は、おとうさんを、
ひっぱっていきますと、

「凧屋《たこや》！　なんだって、こんなところに、
店《みせ》を、だしているんだ、まったく。
その小《ちい》さい凧《たこ》を、くれ」
「いやだ、この大《おお》きいの、かって」
「それはな、かんばんで、
うりものじゃあないんだよ」
「いいえ、うります。なんでしたら、
おくに、もっと大《おお》きいのがありますが」
「こら、よけいなことを、いうな、凧屋《たこや》。
……
わかったよ
その凧《たこ》に
するよ」

「糸《いと》まきは、
小《ちい》さいのと、大《おお》きいのが、
ありますが…」
「小《ちい》さいのでいいよ」
「いやだ、大《おお》きいの！」

「糸《いと》のかえは、いかがですか？」

「いらないよ、そんなの」

「糸《いと》のかえ、ほしい！」

「いちいち、
よぶんなことをいう、凧屋《たこや》だ」

「かえりに、
いっぱいやっていこうと、
おもってた金《かね》を、とられちまった」
「まいど、どうも、
ありがとうございます」

「また、どうぞ」

「なにをいってるんだ。

にどとくるかい」

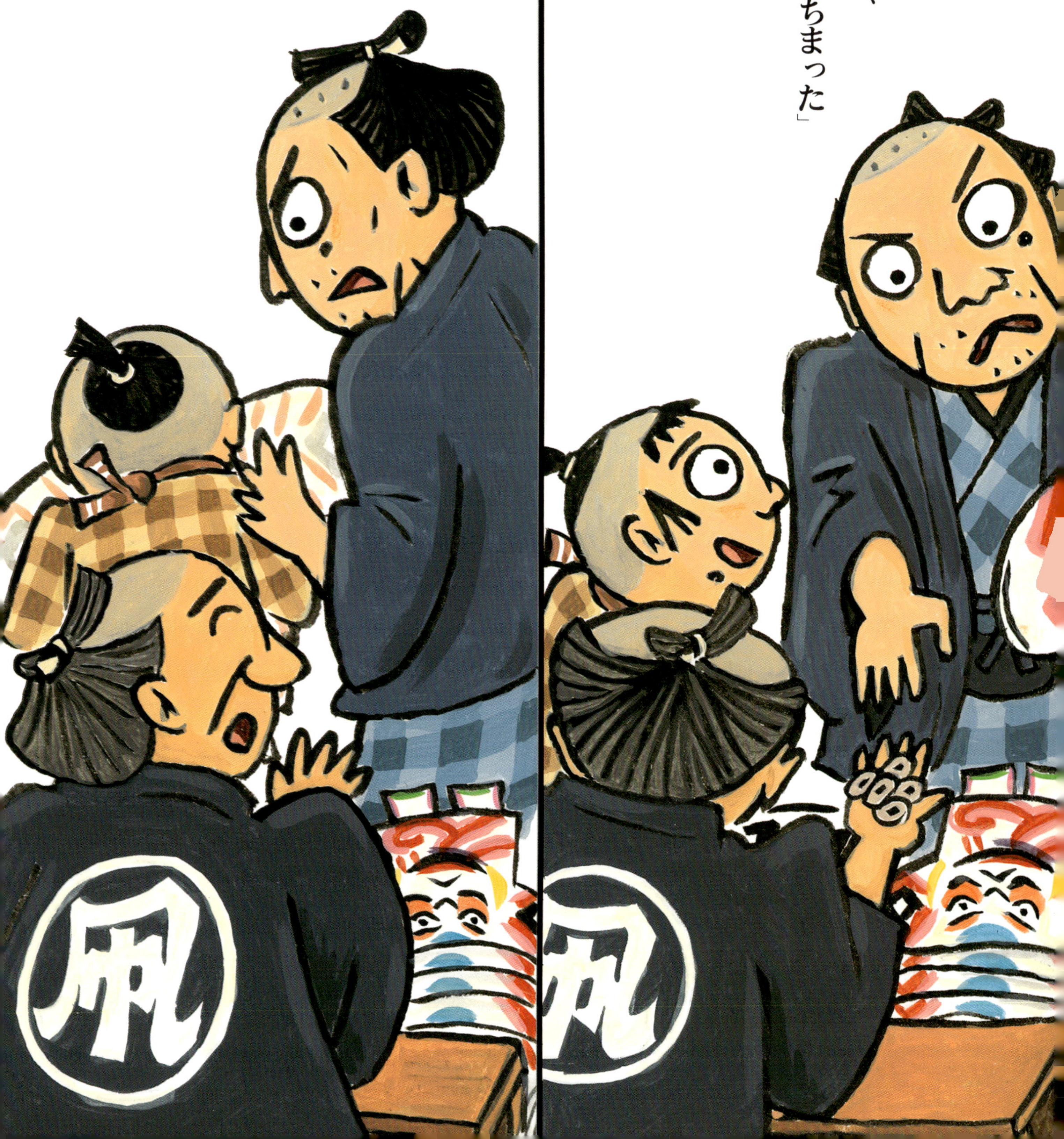

「ねえ、とうちゃん、うちへかえっても、
あげるばしょが、ないから、
そこのひろばで、あげていこうよ」
「しかたがないねえ、すこしだぞ」
おとうさんも、しぶしぶ、
金坊《きんぼう》と、ひろばに、
やってきました。

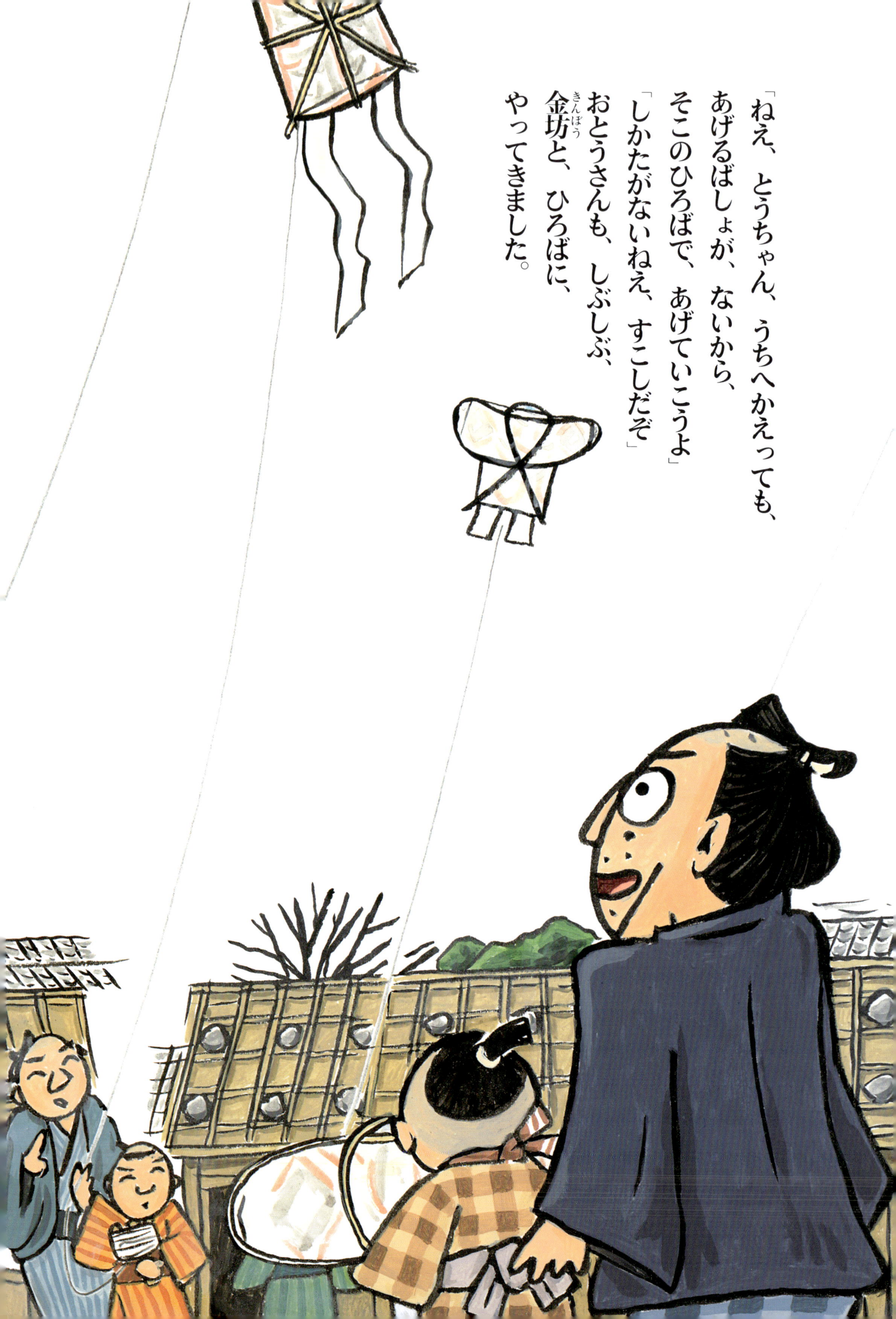

「まず、とうちゃんが、
あげてやるから、おまえは、
凧《たこ》をもって、さがりな……、
もっとだ……、もっとだ……」

そういって、金坊《きんぼう》が、
あとずさりしていきますと、
ドスン！
よっぱらいのおっさんに、
ぶつかってしまいました。

「こらーっ、いてえじゃねえか」
と、よっぱらいのおっさんが、
おこりだしたものですから、

「どうも、
すみません。
それは、わたしのむすこでして、
ごかんべんねがいます。
金坊《きんぼう》、なくんじゃねえ、
とうちゃんが、ついてる」

「おまえは、もういい、
こんどは、とうちゃんが、さがるから」
そういって、おとうさんが、
あとずさりしますと、
ドスン！
べつのおじさんに、
ぶつかってしまいました。

「いたいねえ、あなた。きをつけなさい！」
と、おじさんが、おこりだしたものですから、
「どうも、すみません。
それは、ぼくのとうちゃんで、
かんべんしてやってください。
とうちゃん、なくんじゃないよ、
ぼくが、ついてる」
なんだか、どっちが、おやだか、こどもだか、
わからなくなって、しまいました。

さて、あたりに、ひとが、いなくなるのをまって、
「よし、金坊《きんぼう》！　凧《たこ》をはなせ」
と、おとうさん、かけごえをかけて、
はしりだしますと、
凧《たこ》は、するすると、
空《そら》へ、あがっていきました。

「どうだ、金坊《きんぼう》！　あがったろう」
ちょうどいいぐあいに、風《かぜ》が、ふいてきて、
おとうさんが、糸《いと》を、おくりだしますと、
凧《たこ》は、ぐんぐんと、あがっていきます。
「どうです。あがりましたよ。
ねえ、どうです」
おとうさんは、じょうきげん。
「やっぱり凧《たこ》は……
凧《たこ》は、大《おお》きいのにかぎるねえ。
このひきの、つよいこと。
糸《いと》まきが、もっていかれそうだ。
糸《いと》まきは、大《おお》きくなくっちゃあ。
糸《いと》だって、ながくなくっちゃあ
いけませんよ！」

龍

おとうさん、むちゅうになってしまいまして、
「ねえ、とうちゃん！　ぼくにも、やらせてよお」
と、金坊《きんぼう》が、はしりよってきましたが、
「まてまて、あせっちゃいけない、
あせっちゃあ……
ああ、いいきぶんだ」
と、まったく、とりあってくれません。
「とうちゃん、ずるいぞ！
ぼくの、凧《たこ》だぞ。
とうちゃん、とうちゃん、
……とうちゃん！」

金坊《きんぼう》、ひっしで、とうちゃんに、
しがみつきますと、

「うるさいねえ、おまえは…、
ちょっと、手《て》をだせ」
「えっ、やらせてくれるのかい」
「そうじゃねえ、
このお金《かね》もってな、
さっきの凧屋《たこや》へいって、
糸《いと》のかえ、もうひとつ、
かってこい」

「えーっ、
なんだい、そんなの、あるかい。
あーあ、こんなことなら……

とうちゃんなんか、
つれてくるんじゃなかった」

落語絵本を作った人

川端誠さん

落語絵本シリーズ　その３「はつてんじん」

落語には親子をあつかったものも多く、「初天神」もそのひとつです。

いつの時代でも、親子関係や子育てはかくあるべしという論は必ずあるものですが、このごろは、父親の役割の大切さが語られる場合が多いように思います。

しかし、本来親子関係はマニュアルやテクニックでなんとかするものではないんでありまして、「初天神」の中にも、理屈や論をふっとばしてしまう豪快な父子関係が語られております。

金坊にとって、この一日は実に楽しい思い出深い一日にちがいないのでありまして、それは、おとうさんにとってもそうなんでありましょう。

裏表紙は、もうこれしかないだろうという絵を描きました。

かわばた・まこと　1952年生まれ。シリーズごとにテーマや表現技法をかえ、多様な世界を展開している。『鳥の島』『森の木』『ぴかぴかぷつん』『お化けシリーズ』（ＢＬ出版）など多数。絵本ライブや講演を続け、また絵本解説にも定評がある。落語絵本は、『ばけものつかい』『まんじゅうこわい』『はつてんじん』『じゅげむ』『おにのめん』『めぐろのさんま』『ときそば』（以上、クレヨンハウス）、『井戸の茶わん』（ロクリン社）。最近の作品に『ピージョのごちそう祭り』（偕成社）など。

crayonhouse

発行日――――1996年12月第１刷　2024年１月20日第32刷

発行人――――落合恵子

発行――――クレヨンハウス

東京都武蔵野市吉祥寺本町2-15-6

TEL.0422-27-6759 FAX.0422-27-6907

URL　https://www.crayonhouse.co.jp/

印刷・製本――大日本印刷株式会社

初出・月刊『音楽広場』1996年２月号「おはなし広場」